The S... uinn

Declan Collinge

Illustrated by
Nicola Sedgwick

RED STAG

Published by Mentor Books Ltd
www.mentorbooks.ie

Published in 2018 by:
RED STAG
(a Mentor Books imprint)
Mentor Books Ltd
43 Furze Road
Sandyford Industrial Estate
Dublin 18
Republic of Ireland

Tel: +353 1 295 2112 / 3
Fax: +353 1 295 2114
Email: admin@mentorbooks.ie
Website: www.mentorbooks.ie

ISBN 978-1-912514-09-0

Edited by: Nicola Sedgwick

Visit our website: www.redstag.ie
                     www.mentorbooks.ie

Fadó in Éirinn, in aimsir an rí Cormac Mhic Airt, bhí buíon laochra cróga, scanrúla ann. Na Fianna a tugadh orthu. Bhí ort trialacha deacra a dhéanamh chun a bheith sna Fianna: bhí ort foghlam a dhéanamh ar shleá agus sciath a úsáid, rith ar nós tintrí agus filíocht a chur de ghlanmheabhair. Ní raibh sna Fianna ach na laochra is láidre.

Cumhall b'ainm do cheannaire na Féinne. Fear cróga ba ea é ach bhí laoch i dtreis leis darbh ainm Goll. Ba mhaith le Goll a bheith ina cheannaire ar na Fianna agus, mar sin, mharaigh sé Cumhall sa chath. Bhí mac amháin ag Cumhall. Fionn b'ainm dó. Mharódh Goll an buachaill seo freisin ach d'éalaigh a mháthair leis go Sliabh Bladhma agus chuir i bhfolach é.

Long ago in Ireland, when Cormac Mac Art was king, there lived a band of brave, fearsome warriors. They were known as the Fianna. You had to pass many difficult tasks to become a member of the Fianna: you had to learn how to use a spear and shield, to run at lightning speed, and to learn poetry off by heart. Only the strongest men could become members.

The leader of the Fianna was a brave man called Cumhall but he had a rival called Goll. Goll wanted to become leader of the Fianna so he killed Cumhall in battle. Cumhall had one son named Fionn. Goll would have killed him too but his mother fled and hid Fionn in the Slieve Bloom Mountains.

Ar Shliabh Bladhma d'fhoghlaim an buachaill úsáid chlaíomh agus sleá, rith go tapaidh agus seilg. Ba mhian leis a bheith ina cheannaire freisin ar na Fianna lá amháin ar nós a athar.

Agus é ina fhear óg bhuail sé amach ar a aistear go Teamhair. Bhí cónaí ar an Rí Cormac san áit sin. Ba ann a d'iarrfadh Fionn áit a athar a ghlacadh mar cheannaire ar na Fianna. Aistear fada contúirteach ba ea é.

I nGleann na Bóinne chaith Fionn tamall le Finéagas, sean-draoi agus file. Bhí an seanduine seo ag iarraidh bradán draíochta a mharú ar feadh a shaoil. Ba é seo an Bradán Feasa. Bheadh fios iomlán ag an té a bhlais é.

There in the Slieve Bloom Mountains the boy learned how to use a sword and spear, to run quickly and to hunt. Fionn hoped that he too one day would become leader of the Fianna, like his father.

When he was a young man he set out for Tara where King Cormac lived. There Fionn would ask to take his father's place as leader of the Fianna. It was a long and dangerous journey.

While in the Boyne valley Fionn stayed with the old druid and poet, Finegas. This old man had been trying all his life to catch a magic salmon. The fish was called the Salmon of Knowledge. Whoever tasted it would know all things.

'Ó tá mé ar thóir an éisc draíochta seo ar feadh mo shaoil, mise amháin a bhlaisfidh, má mharaím é,' arsa Finéagas le Fionn.

Lá ina dhiaidh sin agus é ag iascaireacht, lig Finéagas scead áthais as: 'Tá sé agam. Mharaigh mé an Bradán Feasa! Las tine, a Fhinn, agus cócarálfaidh mé an bradán ach cuimhnigh nach bhfuil cead agat é a bhlaiseadh.'

Rinne Fionn mar a dúradh leis agus ba ghearr go raibh an bradán á chócaráil ar bhior os cionn na tine. Chonaic sé clog ag éirí ar an iasc agus bhris lena órdóg é ach, má rinne, dhóigh sé a ordóg agus chuir ina bhéal í.

'Céard atá déanta agat?' arsa Finéagas.

D'inis Fionn dó céard a tharla.

'Ró-dhéanach, ró-dhéanach,' arsa Finéagas. 'Bhlais tú an Bradán Feasa. Beidh fios iomlán agatsa anois.'

'Since I have been hunting this magic fish all my life, if I catch it, no one but I alone must taste it,' said Finegas to Fionn.

Just a day later, while fishing, Finegas cried out in delight, 'I've caught the fish, I've caught the Salmon of Knowledge! Light a fire Fionn, and I'll cook the salmon but remember you must not taste it.'

Fionn did as he was told and the salmon was soon cooking on a spit over the fire. He saw a blister swelling up on the fish and burst it with his thumb. As he did, he burned his thumb so he put it into his mouth.

'What have you done?' cried Finegas.

Fionn told him what had happened.

'Too late, too late,' said Finegas. 'You've tasted the Salmon of Knowledge. Now you will know all things.'

Nuair a d'fhéach Finéagas ar Fhionn thuig sé go raibh athrú air cheana féin de bharr fios an bhradáin. Cé go raibh brón air nach raibh an fios aige, bhí áthas air go raibh sé ag laoch óg cróga, ina ionad.

Sular fhág Fionn Finéagas, thug an sean-draoi sleá dhraíochta agus brat draíochta dó chun é a chosaint. Ghabh Fionn buíochas le Finéagas agus thug aghaidh ar Theamhair lena shleá agus lena bhrat. Nuair a shroich sé pálás an Rí Chormaic d'fhéach Goll Mac Mórna go feargach air. Labhair an rí le Fionn.

'Cé tusa, a fhir óig agus cén fáth ar tháinig tú anseo?'

Labhair Fionn amach go dána: 'Is mise Fionn Mac Cumhaill agus tá mé anseo chun a bheith i mo cheannaire ar na Fianna ar nós m'athar.'

Finegas knew by looking at Fionn that he was already changed by the Salmon of Knowledge. While he was sad that he had not been given the knowledge, he was happy to know that a brave young warrior had it instead.

Before Fionn left Finegas, the old druid gave him a magic spear and a magic cloak to protect him. Fionn thanked Finegas and set out for Tara, taking with him the spear and cloak. When he reached King Cormac's palace, Goll Mac Mórna glared at him. The king spoke to Fionn.

'Who are you, young man, and why have you come here?'

Fionn spoke up boldly. 'I am Fionn, son of Cumhall and I am here to become leader of the Fianna, like my father.'

Thosaigh gach duine ag gáire.

'Níl ionat ach fear óg. Cén chaoi a bhféadfása bheith i do cheannaire ar na Fianna?' arsa an rí.

'Tabhair seans dom mé féin a chruthú,' arsa Fionn.

Thaitin an chuma a bhí ar an bhfear óg seo leis an rí.

'Maith go leor,' adúirt sé, 'Tagann fear sí, darb ainm Alún, anseo gach uile bhliain ag Samhain. Seinneann sé port ar a phíobaí draíochta. Titimid uile inár gcodladh agus ansin dónn sé Teamhair lena anáil lasánta. Níor éirigh le duine ar bith Alún a mharú go dtí seo. Má's féidir leatsa an fear sí seo a mharú cruthóidh sin gur féidir leat a bheith i do cheannaire ar na Fianna.'

'Maróidh mé Alún,' arsa Fionn.

Everyone laughed.

'You're only a young man. How can you be leader of the Fianna?' said the king.

'Let me prove myself to you,' replied Fionn.

The king liked the look of this young man.

'Very well,' he said, 'a goblin called Alún comes here every year at Samhain. He plays a magic tune on his pipes which puts us all to sleep and then he burns Tara with his flaming breath. No one so far has been able to kill Alún but, if you can kill this goblin, you will prove that you can be leader of the Fianna.'

'I will kill Alún,' said Fionn.

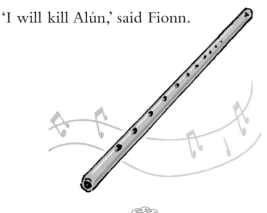

Nuair a tháinig Samhain sheas Fionn ar bhallaí na Teamhrach. D'éirigh sé dorcha agus chuala Fionn an ceol sí binn. Tháinig codladh air. Bhrúigh sé rinn na sleá draíochta lena éadan chun fanacht ina dhúiseacht.

Theann Alún le Fionn. Bhí an anáil lasánta ach chlúdaigh Fionn é féin leis an mbrat draíochta a chosain ó bhaol é. Ansin chaith sé an tsleá le hAlún agus chuaigh sí faoin a chroí.

D'fhill Fionn ar phálás an rí. B'ionadh le gach duine gur mharaigh an fear óg seo an fear sí. Ghlaoigh an rí Fionn agus Goll chuige. Chroith siad lámha le chéile agus bhí Goll sásta a bheith umhal do Fhionn sna Fianna.

Rinneadh ceannaire na Féinne de Fhionn ón lá sin amach. Bhí dún aige in Almhain. Bhí trácht ar a ghníomhartha gaisce ar fuaid na hÉireann.

When Samhain arrived Fionn stood on the walls of Tara. As it grew dark he heard sweet fairy music and he began to feel sleepy. He dug the point of his magic spear into his forehead to keep awake.

Alún grew closer, breathing flames, but Fionn covered himself with his magic cloak which protected him from harm. Then he flung the spear at Alún, piercing the goblin's heart.

Fionn returned to the king's palace. No one could believe that this young man had killed the goblin. The king called Fionn and Goll to his side. They shook hands and Goll agreed to serve in the Fianna under Fionn.

From that day on Fionn became the leader of the Fianna. His fort was on the Hill of Allen and stories of his brave deeds were heard of all over Ireland.

Bhí dhá chú breátha ag Fionn. Bran agus
Sceolán na h-ainmneacha a bhí orthu. Lá
ámháin chuaigh Fionn ag seilg. Chonaic
sé eilit óg agus lean í ach bhí an eilit
an-tapaidh. Lean Fionn agus an dá chú í.
Rith na madraí ar aghaidh agus tháinig Fionn
suas leo faoi dheireadh. Ba ansin a chonaic sé
an eilit ag ligint a scíth. Bhí na madraí ina luí
ina aice go ciúin léi agus iad á cosaint.

Bhí ionadh ar Fhionn. Thuig sé go raibh
rud aisteach ag baint leis an eilit. Agus é ag
filleadh ar Almhain lean na madraí agus an
eilit ar ais é. An oíche sin rinneadh bean óg
álainn den eilit. Labhair sí go mánla le Fionn.

'Is mise Sadhbh. Rinne draoi mallaithe eilit
díom nuair nár phós mé í. Tá mé slán anseo
sa dún mar ní imríonn an draíocht orm.'

Fionn had two fine hounds called Bran and Sceolán. One day he went out hunting. He saw a young doe and gave chase but the doe was very fast. Fionn and his two hounds kept after the doe. The hounds ran ahead and at last Fionn caught up with them. There he saw the doe resting and the two hounds lying  quietly beside her, protecting her.

Fionn was surprised. He knew there was something strange about the deer. As he returned to the Hill of Allen the dogs and the doe followed him back. That night the doe changed into a beautiful young woman. She spoke softly to Fionn.

'I am Sadhbh. An evil druid changed me into a doe because I would not marry him. I am safe in your fort because his magic will not work here.'

Bhí Sadhbh chomh hálainn agus chomh mánla sin, gur thit Fionn i ngrá léi láithreach. Pósadh iad agus d'fhan Fionn sa dún léi ar feadh bliana mar bhí eagla ar Shadhbh an áit shlán seo a fhágáil.

Bhí scéala ann ansin go raibh na Lochlannaigh ag déanamh ionsaithe ar Éirinn. Bhí ar Fhionn imeacht ó Almhain chun an tír a chosaint. Bhí an-bhrón air ag fágáil Sadhbh mar bhí sí ag súil le leanbh. Labhair sí go cneasta leis

'Ná bí buartha, a Fhinn, beidh mé slán anseo agus ní rachaidh mé amach.'

Dúirt Fionn léi go mbrostódh sé abhaile. Mhol sé di faire amach dó ó bhallaí an dúin.

Sadhbh was so beautiful and gentle that Fionn immediately fell in love with her. They got married and he stayed in his fort for a whole year with her because she was afraid to leave this safe place.

Then news came of a Viking attack on Ireland so Fionn had to leave the Hill of Allen to defend his country. He was very sorry to leave Sadhbh because she was expecting a baby. She spoke gently to him.

'Don't worry Fionn, I will be safe here and I will never go outside.'

Fionn told her that he would hurry back and that she should look out for him from the walls of the fort.

Throid Fionn go cróga ar feadh seachtaine agus chuir sé an ruaig ar na Lochlannaigh. Abhaile leis go tapaidh go hAlmhain ansin. Bhí ionadh air nach raibh Sadhbh ar bhallaí an dúin ag faire amach dó.

Agus é sa dún, labhair a chairde sna Fianna leis: 'Lá nó dhó tar éis imeacht duit bhí Sadhbh ag faire amach duit ar na ballaí. Chonaic sí tusa ag teacht agus an dá chú leat. Rith sí síos chun bualadh leat ach, nuair a chuaigh sí ón dún amach, d'ardaigh an fear, a raibh do chruth air, slat draíochta agus go tobann, rinne eilit di arís. Bhrostaíomar aníos chun iad a leanúint ach, faoi am sin, bhí siad imithe.'

Bhí a fhios ag Fionn gur chuir an draoi draíocht ar Shadhbh chun í a sciobadh. Bhí an-bhrón agus an-fhearg air.

Fionn fought bravely for over a week and drove the Vikings from his land. Then he rushed back to the Hill of Allen. He was surprised when he did not see Sadhbh looking out for him from the walls of the fort.

When he went inside his friends in the Fianna spoke: 'A day or two after you left, Sadhbh was looking out for you from the walls. She saw you arrive below with your two hounds. She rushed down to greet you but, once outside the walls, the man who looked like you raised a wand and suddenly she was turned into a doe again. We rushed down to follow but, by then, they were all gone'.

Fionn knew now that the druid had used his magic to snatch Sadhbh away and he was very sad. He was also very angry.

Bhí Fionn ag cuardach Sadhbh ar feadh seacht mbliana fada. Shil sé deora goirte agus é á lorg sna coillte, sna pluaiseanna agus ar fuaid na sléibhte. Dá fheabhas a chuardaigh sé níor tháinig sé riamh uirthi.

Lá dá raibh sé ag seilg le Bran agus Sceolán, rith na madraí ar aghaidh. Tháinig Fionn suas leis na madraí ar thaobh sléibhe. Bhí siad ina suí agus bhí buachaill fionn, timpeall seacht mbliana d'aois, in aice leo. Bhí na madraí ag lí láimhe leis an mbuachaill. Nuair a dhruid Fionn leo baineadh preab as an mbuachaill agus bhí cuma fhiáin air. Thuig Fionn ansin gurbh é a mhac féin a bhí ann.

Thóg sé ar ais go hAlmhain é agus thug aire mhaith dó. Diaidh ar ndiaidh d'éirigh an buachaill níos ciúine ann féin agus d'inis scéal aisteach do Fhionn.

For seven long years Fionn searched for Sadhbh. He cried bitter tears as he searched in every wood, cave and mountain, but no matter how hard he tried he could never find her.

Then, one day while he was out hunting, Bran and Sceolán rushed ahead. Fionn caught up with the hounds on a mountainside and saw they were sitting beside a fair-haired boy about seven years old. Both hounds were licking the boy's hand. When Fionn 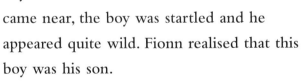 came near, the boy was startled and he appeared quite wild. Fionn realised that this boy was his son.

He took him back to the Hill of Allen where he looked after him well. Gradually the boy became calmer and told Fionn a strange story.

'Thóg eilit mhánla mé. Chothaigh sí mé agus thug aire dom. Bhíomar inár gcónaí sna coillte agus sna sléibhte le seacht mbliana. Ansin tháinig drochdhuine agus thug sé leis an eilit. D'imigh siad as radharc. Fágadh i m'aonar mé ar thaobh an tsléibhe. Ar dtús tháinig dhá chú agus thosaigh ag lí mo láimhe. Go luath ina dhiaidh sin, tháinig tusa.'

Labhair Fionn ansin: 'Is mise d'athair. Bean álainn ba ea do mháthair sula ndearna an draoi eilit di. Tá mé á cuardach ar feadh na mblianta ach níor tháinig mé uirthi riamh. Glaofaidh mé Oisín ort as seo amach. Ciallaíonn sin "Fia Beag".'

Lean Fionn agus Oisín ag cuardach ach níor tháinig siad riamh ar Shadhbh. D'fhás Oisín suas leis na blianta. Ba é an laoch ba chróga sna Fianna é.

'I was raised by a gentle doe. She fed me and cared for me. We lived in the woods and the mountains for seven years. Then an evil man came and led the doe away. They both disappeared and I was left alone on the mountainside. Then two hounds came by and started licking my hand. Not long after, you arrived.'

Fionn then spoke.

'I am your father. Your mother was a beautiful woman called Sadhbh before the druid changed her into a doe. I have been searching for her for years but I have never found her. I will call you Oisín from now on since that means "Little Fawn".'

Fionn and Oisín continued to search for Sadhbh but she could never be found. Over the years Oisín grew up to be one of the bravest warriors in the Fianna.

Bhí Fionn ag Almhain lá nuair a nocht fia óg go tobann agus rith trasna an mhachaire. Ar an bpointe scaoil Fionn na cúnna, Bran agus Sceolán, chun siúil, ina diaidh. Bhrostaigh Fionn leis i ndiaidh na madraí agus níor stad sé gur bhain sé Sliabh Cuilinn amach. Ní túisce a bhí sé ann nuair a d'imigh an fia as radharc. Chuaigh Fionn soir ina diaidh agus chuaigh na madraí siar.

Faoi dheireadh tháinig sé go dtí loch agus chonaic sé spéirbhean ina suí ar an mbruach. Bhí gruaig órga uirthi agus cneas aici chomh geal le sneachta.

'An bhfaca tú dhá chú?' arsa Fionn.

D'fhreagair an spéirbhean go brónach: 'Ní fhaca, ach tá mo chroí buartha mar thit m'fháinne breá órga de mo mhéar isteach san uisce agus tá sé ar ghrinneall an locha.'

Fionn was on the Hill of Allen one day when a fawn suddenly appeared and rushed across the plain. He immediately set his hounds, Bran and Sceolán, after the animal. Fionn rushed off after the hounds and did not stop till he reached Slieve Gullion. No sooner was he there than the fawn disappeared so Fionn went looking for her to the east while the hounds went to the west.

Eventually Fionn came to a lake and there, sitting on the bank, was a very beautiful young woman. Her hair was golden and her skin was as white as snow.

'Have you seen two hounds?' asked Fionn.

The young woman answered sadly, 'No, I have not seen your hounds but my heart is troubled because my beautiful golden ring has fallen off my finger and is at the bottom of the lake.'

'Ar mhiste leat m'fáinne a bhreith ar ais chugam?'

Bhain Fionn de agus isteach leis sa loch. Chuaigh sé ag snámh trí huaire timpeall an locha agus chuardaigh gach ball de ghrinneall an locha gur tháinig sé ar an bhfáinne. Thug Fionn an fáinne ar ais don bhean ag súil go mbeadh áthas uirthi, ach léim sí isteach sa loch de phreab agus d'imigh as radharc.

Nuair a tháinig Fionn amach as an loch chun a chuid éadaigh a fháil bhí sé chomh lag sin is ar éigean a bhí sé ábalta iad a bhaint amach. Bhí uafás air nuair a thuig sé go ndearnadh seanduine liath dreoite de.

Tháinig Bran agus Sceolán ach níor aithin siad Fionn. D'imigh siad leo timpeall an locha á lorg. Thiar in Almhain tháinig imní ar na Fianna nuair nár fhill a gceannaire. Amach leo á lorg agus, faoi dheireadh, shroich siad Sliabh Cuilinn.

'Could you please bring me back my ring?'

Fionn stripped off and dived into the lake. He swam around the lake three times and searched every part of the lakebed until he found the ring. Fionn handed the woman back her ring, expecting her to be delighted. Instead, she suddenly leaped into the water and vanished.

Fionn got out of the lake to put on his clothes but he was overcome with weakness and could barely reach them. To his horror, he realised he had been changed into an old, grey withered man.

Bran and Sceolán came by but they did not recognise Fionn. They went off around the lake searching for him. Back on the Hill of Allen, the Fianna were worried because their leader had not returned. They set out to look for him and, at last, they reached Slieve Gullion.

Ba ansin a chonaic siad seanduine ar bhruach an locha. Cheap siad gur iascaire a bhí ann. Labhair Caoilte, an reathaí is tapúla sna Fianna, leis an seanduine:

'An bhfaca tú dhá chú ar thóir fia óig agus fear ard fionn á dtiomáint chun siúil?'

D'fhreagair an seanduine: 'Chonaic, tamall ó shin.'

'Cá bhfuil siad anois, a sheanduine?' arsa Caoilte.

Bhí náire chomh mór sin ar Fhionn nach raibh sé sásta a rá go ndearnadh seanduine dreoite de.

'Gheobhaidh tú bás anseo láithreach mura ninsíonn céard a tharla don fhear sin,' arsa Caoilte ag tarraingt a chlaímh.

Ba ansin a d'inis Fionn ar tharla dó. Bhí an-bhrón ar na Fianna go raibh an cruth sin ar Fhionn.

There they saw an old man on the bank of the lake. They thought he was a fisherman. Caoilte, who was the fastest runner in the Fianna, spoke to the old man.

'Did you see two hounds chasing a fawn and a tall fair-haired man urging them on?'

The old man answered.

'Yes, I saw them a while ago.'

'Where are they now, old man?' asked Caoilte.

Fionn was too ashamed to reveal that he had been turned into a withered old man.

'You will die here and now if you do not tell us what happened to that man,' said Caoilte, drawing his sword.

It was then that Fionn told them all that had happened. The Fianna were very sad indeed to see Fionn like this.

Chuir Fionn a ordóg ina bhéal ansin agus
thuig go raibh bealach ann chun an draíocht
a bhaint de.

'Chuir bean sí faoi dhraíocht mé. Má
théimid go Cuailgne seans go mbeidh
Manannán Mac Lir ábalta cabhrú linn.'

D'ardaigh na Fianna Fionn suas ar a sciatha
agus bhrostaigh go Cuailgne. Nuair a shroich
siad an áit tháinig Manannán amach as chnoc
sí agus soitheach óir ina láimh aige. Bhí a
fhios aige cheana féin cad a tharla. Thug sé
an soitheach do Fhionn agus d'iarr air ól as.

Nuair a d'ól Fionn siar tháinig a aois cheart
air arís ach d'fhan a chuid gruaige, a bhí
fionn go dtí sin, liath. Lig sé an soitheach
óna láimh ansin agus d'fhás crann draíochta
suas san áit inar thit sé. Cibé duine a
d'fhéach ar chraobha an chrainn sin bheadh
fios aige a raibh le tarlú an lá sin.

Fionn put his thumb in his mouth then and saw that there was a way to break the spell.

'A fairy woman has put this spell on me. If we go to Cooley, Manannan Mac Lir may be able to help.'

The Fianna raised up Fionn on their shields and hurried on to Cooley. When they arrived Manannan came out of a fairy hill holding a golden vessel. He already knew what had happened. He gave the vessel to Fionn and told him to drink from it.

Fionn drank from the vessel and changed back to his normal age but his hair, which had been fair, remained grey. He then dropped the vessel and a magical tree sprang up from the place where it fell. Anyone who looked at its branches would know all that was to happen that day.

Lá dá raibh Fionn agus na Fianna ar Bheann Éadair tháinig bád i dtír sa chuan. Amach le laoch caol láidir.

Labhair sé le Fionn: 'Is mise Caol an Iarainn, rí na Teasáile. Tugaim dúshlán do na Fianna móréachtacha. Má fhaigheann laoch ar bith díbh an ceann is fearr orm sa chomhrac nó sa rith, fillfidh mé abhaile ach, má bhuaim féin, beidh oraibh cíos a íoc dom gach bliain.'

Ghlac Fionn le dúshlán Chaol an Iarainn agus chuaigh ar lorg Caoilte Mac Rónáin, an reathaí is tapúla sna Fianna.

Agus é ag dul trí choill bhuail Fionn le bodach ollmhór. Bhí cóta fada síos go dtí na rúitíní air agus bhí fáithim an chóta salach ón láib. Bhí bróga salacha ar a spága agus bhí a aghaidh buí. Bhí rian a bhéile dheireanaigh mórthimpeall a bhéil mhóir ghránna.

One day, when Fionn and the Fianna were out on the Hill of Howth, a boat came into the harbour below. Out stepped a strong, slim warrior.

He spoke to Fionn: 'I am Ironbones, the King of Thessaly. I have a challenge for the mighty Fianna. If any warrior among you can beat me in combat or in a race I will return home. However if I win, your country must pay a tribute to me every year.'

Fionn accepted Ironbones's challenge and went in search of Caoilte Mac Ronan, the fastest runner in the Fianna.

As he was passing through a wood Fionn met a giant oaf. He wore a long grey coat down to his ankles and the hem of this was filthy from the mud. He wore dirty shoes on his huge feet and his face was yellow. The traces of his last meal could be seen all around his big ugly mouth.

'Cá bhfuil do dheifir?' arsa an bodach.
Dúirt Fionn cá raibh sé ag dul ach rug an
bodach greim air agus d'fhreagair, 'Déan
dearmad ar Chaoilte. Mise an fear agat.
Rithfidh mé i gcoinne Chaol an Iarainn
amárach. Air ais leat agus abair leis a bheith
réidh.'

D'fhill Fionn agus thug Caol an Iarainn go
dtí an choill.

'Ní rithfidh mé i gcoinne an fhathaigh
ghránna sin,' arsa Caol an Iarainn, ach chuir
an bodach i gcuimhne dó mura rithfeadh go
mbeadh air filleadh abhaile. D'aontaigh Caol
an Iarainn an lá dár gcionn.

Socraíodh go mbeadh an rás ann ag
breacadh an lae, ón gcoill go dtí Beann
Éadair, caoga míle ar fad. Thóg an bodach
bothán de chraobha agus de dhuilleoga.
D'iarr sé ar Chaol an Iarainn é a roinnt leis
ar feadh na hoíche ach dhiúltaigh sé.

'What's your hurry?' asked the oaf.

Fionn told him where he was going but the oaf took hold of him and replied, 'Forget about Caoilte. I'm your man. I will race Ironbones tomorrow. Go back and tell him to be ready.'

Fionn returned and brought Ironbones to the wood.

'I will not race against such an ugly giant,' said Ironbones.

The oaf reminded him that if he did not race he would have to return home so Ironbones agreed to race the following day.

It was agreed that the race would be run at dawn the following morning from the wood back to Howth, a distance of fifty miles. The oaf then built a hut of branches and leaves. He asked Ironbones to share it with him for the night but he refused.

Mharaigh an bodach torc allta ansin agus róst sé ar an tine é. D'imigh sé ansin agus tháinig ar ais le dhá bhairille leanna. D'iarr sé ar Chaol an Iarainn ithe leis ach dhiúltaigh sé arís. D'ith an bodach leath an toirc agus d'ól bairille leanna amháin sula ndeachaigh sé a chodladh.

An mhaidin dár gcionn thosaigh Caol an Iarainn ag rith ach d'fhan an bodach taobh thiar go raibh leath eile an toirc ite aige agus bairille eile leanna ólta aige.

Réab sé chun cinn ansin agus tháinig suas le Caol an Iarainn. Scinn sé thairis ach stad sé ansin chun sméara dubha a ithe go fras. Chuir sé roinnt sméara ina phócaí. Chuaigh Caol an Iarainn thairis agus é ag ithe na sméara ach ba ghearr gur tháinig an bodach suas leis agus d'imigh chun tosaigh arís.

The oaf then killed a wild boar which he roasted over a fire. He went off and came back with two barrels of ale. He invited Ironbones to eat with him but again he refused. The oaf ate half of the boar and drank one barrel of ale before going asleep.

The following morning Ironbones started the race but the oaf stayed behind to eat the other half of the boar and to drink the second barrel of ale.

He then rushed off and soon caught up with Ironbones. He dashed past him but then stopped further on to stuff himself with blackberries. He also stuffed blackberries into his pockets. Ironbones passed the oaf as he was eating the blackberries but the oaf soon caught up with him and passed him out again.

Ba ghearr gur thuig an bodach gur thit na sméara as a phócaí agus mar sin rith sé siar chun iad a fháil. D'ith sé a dhóthain agus siúd leis. Tháinig sé suas le Caol arís, d'imigh thairis agus chuaigh chun tosaigh. Bhí an bodach ag ithe mine coirce as babhla mór agus é ag ól as tobar nuair a tháinig Caol suas leis. Bhí ionadh an domhain ar Chaol nuair a shroich an bodach Beann Éadair roimhe chun an rás a bhuachan!

Nuair a tháinig Caol isteach rug an bodach greim air go tobann agus chaith isteach sa bhád é. Leis sin chiceáil sé an bád chomh láidir sin amach chun farraige gur fágadh ceann Chaoil droim thar nais. Nuair a tháinig Fionn chun a bhuíochas a ghabháil leis, tháinig loinnir sa bhodach. Ba ansin a lig an bodach a aithne le Fionn. Manannán Mac Lir a bhí ann a tháinig i gcabhair ar na Fianna in am an ghátair.

Thug Fionn cuireadh dó teacht ar ais go hAlmhain le haghaidh féasta mar ar ceiliúradh briseadh Chaoil.

Soon the oaf noticed that the blackberries had fallen out of his pockets so he ran all the way back to find them. He ate his fill and set off again. Once again he caught up with Ironbones and passed him out. The oaf was eating a huge bowl of oatmeal and drinking water from a well when Ironbones once more passed him out and took the lead. However, to Ironbones's amazement, the oaf still reached Howth ahead of him to win the race!

When Ironbones arrived the oaf suddenly seized him and threw him down into his boat. He then kicked the boat so hard out to sea Ironbones's head spun around back to front. When Fionn came to thank the oaf a bright light shone from him. It was then that the oaf revealed himself as Manannan Mac Lir who had come to help the Fianna in their time of need.

Fionn invited him back to a great feast on the Hill of Allen to celebrate the defeat of Ironbones.

Nuair a fuair an t-Ardrí Cormac Mac Airt bás, tháinig a mhac Cairbre i gcoróin. Faoin am seo bhí na Fianna an-chumhachtach. Bhí eagla ar Chairbre nach mbeidís umhal dó. Thóg sé arm mór ó Uladh, Laighean agus Connacht chun cath a chur ar na Fianna. Sheas Goll Mac Mórna, iomaitheoir Fhinn, le Cairbre.

Troideadh cath mór ag Gabhra agus briseadh ar na Fianna. Deir daoine gur maraíodh Fionn sa chath sin ach deir daoine eile nach bhfuair sé bás in aon chor. Deirtear go bhfanann sé i bpluais le laochra na Féinne, chun troid ar son na hÉireann amach anseo.

Sin agaibh scéal Fhinn agus na Féinne.

46

When the High King Cormac Mac Art died his son Cairbre became king. By this time the Fianna had become very powerful. Cairbre feared that they would not remain loyal to him so he raised a huge army from Ulster, Leinster and Connacht to do battle with the Fianna. Goll Mac Morna, Fionn's rival in the Fianna, also joined Cairbre's army.

A great battle was fought at Gowra and the Fianna were defeated. Some say that Fionn Mac Cumhaill died in that battle but others say that he did not die at all. They say he awaits, hidden in a cave with other warriors of the Fianna, ready to do battle for Ireland in the future.

That is the story of Fionn and the Fianna.

Other books in the
FADÓ IRISH LEGEND SERIES